TU HO
PAR

Jes

ESPERO QUE LOS ASTROS TE
SEAN PROPICIOS...
SINO SIEMPRE PUEDES LLAMARME
E INTENTARE HACER UNA
LIMONADA. "SERA UNA LIMONADA
INTOMABLE". PERO DIFERENTE A LA
TUYA. tú diferente. CONX

Título original:
Tu Horóscopo para hoy

© 2002 by Ediciones Abraxas

Ilustración de cubierta: Javier Tapia
Infografía: Xurxo Campos

La presente edición es propiedad de
Ediciones Abraxas
Apdo. de Correos 24.224
08080 Barcelona
E-mail: abraxas.s@btlink.net

Impreso en España/ Printed in Spain
ISBN: 84-95536-81-1
Depósito legal: B-17.651-02

Impreso en
Hurope S. L.
Lima, 3 bis
08030 Barcelona

A mi amigo Javier Tapia,
que me enseñó la magia
de la Astrología.

LA MAGIA DE LA ASTROLOGÍA

No puedo dejar de recordar con simpatía a aquel profesor de la Universidad de Berkeley, que cuando escuchaba las palabras «horóscopo» o «astrología» se llevaba las manos a la cabeza y empezaba a decir que no podía creerse que la gente creyera en esas cosas. Lo bueno es que cuando los alumnos le preguntábamos qué era exactamente el horóscopo o la astrología, no atinaba a decir que era eso que salía en el diario y que toda la gente leía. Vamos, que el buen profesor «Danid el Gnomo» (así le apodábamos porque era bajito, llevaba el pelo largo, tenía una gran barriga y, a los pelos de la barba, había que sumarle los pelos de la nariz que él tan orondamente lucía) no tenía la más mínima idea de lo que era la astrología, y sin embargo la criticaba.

Como alumna de aquella universidad, durante mucho tiempo yo también creí que la astrología y los horóscopos se reducían a una plana intermedia del diario, pero no dejaba de asombrarme cuando ese horóscopo del diario acertaba de pleno a lo que me estaba pasando tal o cual día, ta o cual temporada.

Supongo que Danid el Gnomo también leía su horós copo en los diarios, porque sabía perfectamente cuál era s signo del zodíaco, pero no quería oír hablar del tema, com si la astrología estuviera movida por unas fuerzas oscura que atentaban contra todo lo que él podía considerar «cie cia». De haber sido religioso, nuestro amado profesor n habría quemado en la hoguera por blasfemos, y ahora qu lea este pequeño libro, que le haré llegar sin dilación e cuanto salga de la imprenta, seguramente querrá cortarm la cabeza. «Señorita Tate», me dirá, «veo que todos los año que pasó en el templo del saber no le han servido para nada.

Por suerte hay otros profesores que no querrán dejarm sin cabeza, como mi profesor de Astrología, a quien ded co este libro, y que me enseñaron que en este mundo mode no y racional a ultranza, no todo es «ciencia», y que graci a Dios y a los seres de luz que nos inundan y nos rodea también existen la fuerza del amor y la sabiduría del esp ritu.

Por supuesto, y menos mal, la Astrología no es una ciencia exacta, sino un conocimiento de miles de años capaz de señalarnos el camino que han recorrido durante millones de años los astros, las estrellas y los planetas, y que se pueden comparar perfectamente con los ciclos de nuestras vidas humanas, porque, al fin y al cabo, todos formamos parte de este maravilloso sistema que se llama universo.

Este libro está basado en los ciclos de la Astrología, en la rueda de la Rota y en el Horóscopo Eterno, y gracias a ello nos permite que siguiendo el sistema de girar nueve veces el libro y abrir una página al azar, encontremos las claves de nuestro destino para un día determinado sin importar cuál sea el horóscopo de nuestro nacimiento.

Con este sistema usted puede ser Cáncer o Piscis, Virgo o Tauro, Escorpio o Acuario, Sagitario o Capricornio, Leo o Géminis, Libra o Aries, sin que ello le impida encontrar las claves que le abran la puerta a un día maravilloso, un ciclo perfecto para enderezar el rumbo de los astros a su favor, ya que los ciclos astrológicos positivos se dan día a día y se mueven a favor de todos nosotros, sólo hace falta que encontremos la llave para sumarnos a su influencia benéfica, y este es el cometido de la presente obra.

Todas las cosas del universo tienen dos facetas, una positiva y otra negativa, pero sólo de nosotros depende escoger la primera o la segunda. Dios puso en el cielo señales para guiar nuestro camino en la más oscura de las noches, y nosotros lo único que tenemos que hacer es levantar la vista y hacernos con ellas.

No cierres los ojos a las luminarias que alumbran la felicidad de tu camino, no bajes la vista ante la majestuosidad de la plenitud de a vida. Abre tu corazón y tu mente con un acto tan sencillo y positivo como abrir una página al azar de este pequeño libro amigo tras haberlo girado nueve veces y que toda la felicidad del universo te acompañe.

TU HORÓSCOPO
PARA HOY

Deja dormir en paz los amores pasados y abre tu corazón a los nuevos sentimientos. Ya lo dijo el poeta: «Es tan corto el amor y es tan largo el olvido», sobre todo cuando está alimentado de celos y despecho.

Primero llénate de amor amándote a ti, luego ama a los demás sin esperar absolutamente nada a cambio, y ya verás cómo entonces todo el amor del universo se centra en ti y te llena más que todo el romanticismo y las pasiones del mundo.

Tu número de la suerte para hoy es el 122, y Neptuno y Venus los dioses que te llenan de amor.

No preguntes qué es lo que los demás pueden hacer por ti, mejor pregúntate qué es lo que tú puedes hacer por los demás, porque en la medida que cures serás curado, y en la medida que ayudes serás ayudado.

Eres un ser lleno de amor y de ilusiones, de pasión y de emociones, pero no debes dejar que te dominen tus sensaciones y tus impresiones. Deja fluir lo que sientes, pero no obligues a nadie a sentir lo mismo que tú.

Tu número de la suerte para hoy es el 121, y Neptuno y Marte los planetas que te insuflan su aliento.

O todo o nada, o el genio o la más absoluta ignorancia, las grandes empresas o las grandes tristezas, el arte más elevado o la artesanía menos agraciada, es la forma que tiene tu don de manifestarse, o de esconderse.

No dependas de nada ni de nadie, y comparte individualidad e independencia con Piscis y Acuario, ayuda a los menos favorecidos del mundo, y asume el don de la genialidad que los astros te han dado. Tus ciclos comienzan y terminan a diario.

Tu número de la suerte para hoy es el 412, y Urano y Neptuno los astros divinos que alumbran tu ser interno.

El amplio abanico de las ciencias, allí donde se aplique la razón, pero sin renunciar a la intuición, te ha sido dado por los astros. Desde la arqueología hasta la informática, y desde las ciencias sociales hasta las ciencias exactas, son tu campo de acción, descubrimiento y desarrollo.

Únete a Acuario o a cualquier otro signo que aspire a los niveles más altos del conocimiento, porque sólo de esa manera serás el arquitecto de tu propio destino.

Tu número de la suerte para hoy es el 411, y Urano el dios planetario que te hace humano.

Tener el don de mando y la ambición por bandera no parece ninguna vocación, y sin embargo lo es, porque no cualquiera estaría dispuesto a asumir la dirección, el liderazgo o el gobierno de las cosas.

Puedes refugiarte en los demás, sobre todo en Capricornio y Acuario, y trocar por servicio a los demás tu don de mando. Aunque no te lo parezca, puedes llegar a lo más alto de todo, porque ese es tu don, pero tú eres quién decide. Los astros inclinan, no obligan.

Tu número de la suerte para hoy es el 410, y Urano y Saturno los dioses que te elevan a la cima del mundo.

No hay viaje, estudio o idioma que se te resista, porque lo único que puede resistirse a tu don es tu propia incapacidad para valorar lo que llevas dentro. Eres de firmes creencias, y lo peor que puede pasarte es que no creas en ti.

Deja que caminen a tu lado Acuario y Sagitario, porque ellos pueden darte las pautas o las claves para que descubras y explotes el don que hay en ti.

Tu número de la suerte para hoy es el 149, y Urano y Júpiter los dioses que te empujan al mundo.

Desde las ciencias ocultas, hasta la psicología, pasando por todas aquellas actividades que bucean en el interior del ser humano, son el don que los dioses y los astros te han otorgado, y, sin embargo, a menudo te costará encontrar tu vocación en este mundo.

La fuerza de tu alma necesita a su lado gente de Escorpio y de Acuario, gente independiente y revolucionaria que te abra los ojos a nuevos campos de conocimiento.

Tu número de la suerte para hoy es el 148, y Urano y Plutón los dioses que te abren las puertas de las profundidades.

La diplomacia, la política, las leyes, te inspiran por todo lo alto, pero en tus ratos libres la estética y la armonía son tus mejores aliadas. Eres exigente y quieres tener a todo el mundo controlado, pero a menudo tu buen corazón te hace perdonar y ayudar a quien tiene más fallos.

Busca entre la gente que te rodea a Libra y a Acuario, para compartir tu sentido de la justicia y de la perfección, porque esta gente te entenderá y no permitirá que te desvíes de tu camino.

Tu número de la suerte para hoy es el 147, y Urano y Venus tus dioses mentores.

Tienes la pluma en la mano derecha, y la capacidad de contentar a los demás en la mano izquierda. En el pie derecho llevas el ánimo del baile, y en el derecho la fuerza del deporte. Tu garganta no carece de voz para el canto, y tu oído llega el éxtasis con la música.

Escribe, canta, baila, practica, pero en todo momento debes sentir la hermosa sensación de que sirves para algo, ya sea en un trabajo humilde, o bajo las luces del teatro. Deja que Virgo y Acuario te ayuden con el reparto.

Tu número de la suerte para hoy es el 146, y Urano y Mercurio los dioses de tu versátil ingenio.

Haz nacido con las manos hábiles y la mente fértil, tanto que si no pintas, dibujas, delineas o creas algo, tu mente se pierde por los senderos de la fantasía, y confundes los suelos con los cielos.

Tu carácter no siempre es fácil, porque eres capaz de sentirte el ser más brillante del universo, o el más apagado, pero tienes un don maravilloso y un corazón de oro capaz de darlo todo en un momento dado. Busca a personas de Leo, Escorpio y Acuario, y deja que se sienten a tu lado.

Tu número de la suerte para hoy es el 145, y Urano y el Sol los dioses planetarios que te iluminan por dentro.

La enseñanza de los valores primarios, esos que van unidos generalmente a la maternidad, se encuentran latentes en tu ser interno. Tienes el don de enseñar, de transmitir, de relatar los conocimientos, sólo tienes que hacerte escuchar.

Busca a tu alrededor a las personas de Cáncer y de Acuario, para compartir con ellas las ideas y los métodos, las formas de enseñar y de educar a los que vienen detrás en busca de conocimientos. Cocina para ellos.

Tu número de la suerte para hoy es el 144, y Urano y la Luna tus dioses maestros.

La medicina es, además de un conocimiento científico, una vocación, una habilidad innata que muy pocas personas llevan dentro. No lo dudes, dentro de ti hay una buena sanadora o un buen curandero. Dentro de tu ser se encuentran todos los remedios.

Busca a tu alrededor a personas de Géminis, Virgo y Acuario, y comparte con ellos el deseo de curar las almas y los cuerpos de la humanidad.

Tu número de la suerte para hoy es el 143, y Urano y Mercurio los astros que te dan las artes de la curación.

La filosofía es el conocimiento que mejor se te da, ya que tienes una capacidad innata para este conocimiento. Lo único que tienes que hacer para ponerla en marcha, es sentarte, reflexionar y cuestionarte por las cosas pequeñas y grandes del universo.

Busca a tu alrededor a las personas de Acuario y de Tauro, y comparte con ellos la afición a pensar y a encontrar las respuestas que le dan sentido a la existencia.

Tu número de la suerte para hoy es el 142, y Urano y Venus los planetas que alientan tu pensamiento.

Hoy la sequía ha llegado a su fin, la esterilidad ha quedado desterrada y tu ser se convertirá de pronto en un caldo de cultivo para la vida y el entendimiento. Hoy absorberás por cada poro de tu ser toda la energía del universo.

Todas las ansias de saber que tienes se verán colmadas poco a poco, aunque tú quisieras que se colmaran al momento. Tienes muchas habilidades y facilidades, pero recuerda que lo que vale la pena de la vida se cocina a fuego lento.

Tu número de la suerte para hoy es el 141, y Urano y Marte las deidades planetarias que te llevan a viajar por el universo entero.

Hoy darás por finalizado un ciclo vital aferrado a la materia y a los bienes terrenales, y empezarás un nuevo ciclo más elevado y más inteligente. La lectura y el estudio serán tus mejores compañeros a partir de hoy.

La vida esta llena de mundos, percepciones, secretos, misterios y sensaciones, tantos, que una vida no es suficiente para abarcarlo todo. Por eso vivimos muchas vidas, tantas como sean necesarias para alcanzar el conocimiento que nos permita evolucionar. Tú estás en este sendero.

Tu número de la suerte para hoy es el 12, y Saturno y Neptuno los dioses planetarios de tu crecimiento.

Las fuerzas del cosmos se han puesto de acuerdo hoy para que tu mente se eleve y tus cinco sentidos sean más sensibles y perceptivos que nunca. Hoy comprenderás lo que habitualmente no comprendes, y verás con claridad lo que habitualmente no ves.

La llama divina de los astros te ayudará a ser más consciente del mundo que te rodea, así que utiliza esta llama para ampliar tu comprensión.

Tu número de la suerte para hoy es el 11, y Saturno y Urano los dioses regentes que te abren los ojos.

La fuerza de voluntad será tu mejor arma en este día.
Busca a tu alrededor a las personas de Tauro, Virgo o
Capricornio, para apoyarte en ellas si sientes que las
fuerzas te fallan o la debilidad te llega.

Mientras más alto se asciende, el peligro de una caída
es mucho mayor, pero no debes dejar que este temor
merme tus fuerzas. Sigue adelante sin mirar hacia atrás,
y deja que te apoyen los que más te quieren o los que
más te entienden, que los astros te protegen.

Tu número de la suerte para hoy es el 10, y Saturno el
dios antiguo que te ayuda a perseverar.

No todo es racional en este mundo, pero tampoco todo es emocional o imaginario. La vida se compone de todos los elementos, y está de más darle la espalda a unos o a otros, porque seguirán ahí. Ábrete a todas las posibilidades y disfruta intensamente del momento.

En esta vida para todo hay un momento, y lo único que tienes que hacer es escoger los que más te llenen y los que más felicidad te den.

Tu número de la suerte para hoy es el 109, y Saturno y Júpiter los dioses que te abren los brazos.

Todo aquello que no logra vencerte, te fortalece, y hoy
tu organismo saldrá fortalecido, ya que a partir de
hoy podrás recuperar buena parte de la fuerza de tu
cuerpo. Las estrellas actuarán sobre ti como un bálsamo
que cura todas las penas.

Hoy es una jornada excelente para cuidarte y para
quererte, para que tu autoestima aumente y tu seguridad
se afiance. Date una oportunidad, y verás cómo todo
empieza a equilibrarse en tu universo.

Tu número de la suerte para hoy es el 108, y Saturno y
Plutón los planetas que te remozan.

A partir de este momento puedes empezar a desarrollar la obra o la empresa más importante y valiosa de tu vida, y lo mejor de todo es que la puedes iniciar haciendo un simple gesto, dando un primer paso.

Hoy estarás a la par con la belleza y la armonía, con el arte y con la creatividad, así que no pierdas el tiempo haciendo lo que no te gusta o lo que no te llena, y ten constancia y paciencia. No te vendas nunca por debajo de tu precio, ni soluciones un problema con un nuevo problema.

Tu número de la suerte para hoy es el 107, y Saturno y Venus los dioses que te inundan de amor y belleza.

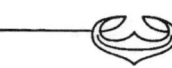

Buen día para poner las cosas en claro y para dejar la conciencia tranquila, así como para pagar las deudas morales, espirituales o económicas que se tengan, ya que la humildad tendrá doble premio en este día.

Todo aquello que satisfagas el día de hoy, te será devuelto con creces, porque todo lo que hay en este mundo realmente no es de nadie, sino que gira y pasa de unas manos a otras eternamente.

Tu número de la suerte para hoy es el 106, y Saturno y Mercurio las influencias astrales que te aconsejan.

La fama y la gloria, el honor y la fortuna, la popularidad y el crecimiento, pueden tocar hoy a tu puerta, así que participa en todo aquello que te propongan, concursa, compite, juega, dejando que las buenas influencias estelares actúen sobre ti.

Aprovecha hasta el último momento, disfruta hasta la última gota, porque no hay garantía alguna de que la buena racha dure demasiado tiempo, aunque bien administrada puede durarte más de lo que sueñas.

Tu número de la suerte para hoy es el 105, y Saturno y el Sol los astros que potencian tu buena estrella.

Hoy te encontrarás con algunos obstáculos de índole emocional, tanto en el campo de la pareja como entre la familia y las amistades. Pero no debes dejarte caer, recuerda que la vida es como nos la tomamos, y que incluso lo más dramático tiene una parte positiva o un rasgo de buen humor.

Dentro de ti se encuentra la capacidad de transformar el mundo que te rodea, y eso a menudo se logra cambiando simplemente el punto de vista del observador.

Tu número de la suerte para hoy es el 104, y Saturno y la Luna las estrellas errantes que te amparan en el universo.

Buen día para trabajar el campo de las comunicaciones, así como para llegar a acuerdos en cosas importantes. Los astros se inclinan a tu favor para darle continuidad a tus proyectos, para que las cosas buenas de la vida te duren lo más posible.

Por otra parte, y aunque parezca una contradicción, hoy es un día excelente para que comiences esa dieta que nunca has comenzado o para que cambies de hábitos. A partir de hoy puedes desterrar todo tipo de malos hábitos.

Tu número de la suerte para hoy es el 103, y Saturno y Mercurio las deidades que te mueven por el buen sendero.

Todo lo que esté relacionado con los bancos, el campo y la construcción te favorecerá positivamente en este día, y, por tanto, hay muchas posibilidades de que aumentes tu patrimonio o tus bienes.

Si tienes que pedir un crédito, solicitar una ayuda o concursar con un proyecto, este es un día perfecto para conseguir sólidamente lo que necesitas. Hoy te moverás por los campos de la seguridad y la firmeza.

Tu número de la suerte para hoy es el 102, y Saturno y Venus los dioses que amparan tus bienes.

Hoy tendrás que ir al grano sin entretenerte en minucias, aunque, eso sí, procura no actuar con brusquedad ni dejar de lado las cosas importantes de la vida. Recuerda que no cuesta nada hacer las cosas bien, aunque lo que busques sea algo inmediato y concreto.

Si sientes que el tiempo se te escapa, debes tener en cuenta que el tiempo es sólo una ilusión, y que lo que más importa de todo es el momento presente, porque en realidad lo único que tenemos es el día de hoy.

Tu número de la suerte para hoy es el 101, y Saturno y Marte los dioses de tu concreción.

Hoy se cierra un ciclo de vaivenes para ti, en el que no podías crecer cómoda y abiertamente. Has tenido que soportar muchos viajes, cambios, malos entendidos y problemas que no eran tuyos pero que te han salpicado.

A partir de hoy podrás abrir el camino y hacer la senda que deseas recorrer, pues ya habrás conquistado las parcelas que te interesaba conquistar. Ahora sólo hace falta que sigas adelante y que los buenos augurios no te cansen.

Tu número de la suerte para hoy es el 912, y Júpiter y Neptuno, los dioses hermanos que iluminan tu camino.

Hoy podrás hacer algo completamente original, especial, diferente, pero para ello es necesario que abras el alma y la mente a todo lo que el mundo te tiene reservado. Todo está permitido en este universo, mientras no se le haga daño a los demás.

La innovación y la investigación pueden darte muy buenos resultados, así que el día de hoy no hace falta que sigas la corriente ni que repitas una y mil veces lo que otras han repetido miles de veces antes que tú.

Tu número de la suerte para hoy es el 911, y Júpiter y Urano los dioses que te abren la mente.

Excelente jornada para ponerte de acuerdo con tus más férreos competidores, aunque sólo sea para establecer las reglas del juego. Recuerda que no debes temer a la competencia, sino a la incompetencia, y más a la propia que a la ajena.

La comunicación es un arma maravillosa de los seres humanos que nunca debemos perder. Mantén siempre una puerta abierta al diálogo.

Tu número de la suerte para hoy es el 910, y Júpiter y Saturno tus dioses valedores.

La fuerza vuelve a ti con toda su potencia y hoy podrás
iniciar ese viaje o esa empresa que se te había estado
negando. Los que dependen de ti también se verán
favorecidos con tu nuevo poder, y se sumarán a tu
buena suerte ayudándote y apoyándote.

Hoy no tendrás ningún temor ante el horizonte, y
tampoco padecerás ningún vértigo ante las alturas. Hoy
tomarás la responsabilidad y llevarás la nave con mano
firme hacia arriba y adelante.

Tu número de la suerte para hoy es el 9, y Júpiter, el
Dios de Dioses, tu planeta compañero.

Si has pasado una larga temporada en un lugar que no te correspondía, debes alegrarte porque muy pronto regresarás a tu puesto favorito. Empiezas a remontar una mala temporada y cada día se ve más claro tu ascenso.

Hoy pondrás la primera piedra de un futuro más sólido y placentero, pero aún deberás ser fuerte, constante, tenaz y tener paciencia, para que los nervios no te hagan una mala pasada en el último momento.

Tu número de la suerte para hoy es el 98, y Júpiter y Plutón los planetas que depuran tu ambiente.

No se puede espantar la soledad haciendo favores a los demás, porque una vez que se ha recibido el favor, viene el bálsamo dulce del olvido. Además, una cosa es la gratitud y otra muy distinta la dependencia.

Este día podrás hacer el bien sin mirar a quien, y lo harás mucho mejor si no esperas absolutamente nada a cambio, sólo el bienestar de los demás. Por la soledad no te preocupes, porque hoy mismo tendrás a quien te quiera y quien te entienda.

Tu número de la suerte para hoy es el 97, y Júpiter y Venus tus dioses regentes.

Hoy vivirás más de tu prestigio que de tu dinero, y de lo que sabes que de lo que tienes. Deja que los demás te eleven y admiren, y aprende a valorar tú mismo o tú misma tus propios dones. Lo creas o no, hoy serás el centro de atención por esos dones.

Es cierto que no se pueden comprar cosas con los conocimientos que uno tiene, pero sí se puede enseñar a los demás que también el dinero y sus transacciones se pueden democratizar.

Tu número de la suerte para hoy es el 96, y Mercurio y Júpiter son los dioses de tu numen.

Ten mucho cuidado hoy con tus corazonadas y con tu vanidad, ya que muchas de las cosas que percibirás no serán exactamente ciertas, y puedes quedar fuera de lugar si insistes en ellas. Recuerda que no todo lo que relumbra es oro, y no todo lo que presientes se corresponde con la realidad.

Hoy no te dejes llevar por las ilusiones o visiones de las personas de Sagitario o de Leo, ya que su buena fe no se corresponderá con la realidad de las cosas, y pueden contagiarte con sus sueños. Sueña, si así lo quieres, pero no pierdas de vista la realidad.

Tu número de la suerte para hoy es el 95. y Júpiter y el Sol los dioses que alientan tus ilusiones.

Hoy tendrás un elevado afán de protección, incluso sobre aquellas personas con las que no te sueles llevar demasiado bien habitualmente, porque no importará si te cansan o te molestan, ya que tu sentido del sacrificio estará ascendente.

Es bueno devolver bien por bien, pero aún es mejor devolver bien por mal, aunque algunas personas no lo puedan entender.

Tu número de la suerte para hoy es el 94, y Júpiter y la Luna las deidades que elevan tus emociones.

La justicia, las leyes y hasta las instituciones oficiales se encuentran hoy en tu camino, por lo que no es un mal momento para arreglar asuntos pendientes y papeles de todas clases, sobre todo hoy que los astros te protegen y te facilitan las cosas.

Hoy tendrás, además, un alma justiciera, interesada en que se haga lo mejor para todos, tanto para ti como para los demás. De cualquier manera, es más positivo buscar la concordia de un acuerdo que promover pleitos.

Tu número de la suerte para hoy es el 93, y Júpiter y Mercurio tus planetas consejeros.

Es muy posible que a lo largo de este día tengas que rendir cuentas o pedir disculpas por algún error cometido en el pasado. Por supuesto, no tendrás ninguna obligación de hacerlo, pero sí la inclinación a recibir el perdón, por la influencia de los astros.

Parece duro, pero no hay náda más liberador que deshacernos de nuestro propio desconcierto, echando fuera de nuestro ánimo las falsas justificaciones con las que solapamos nuestros fallos. Libérate hoy.

Tu número de la suerte para hoy es el 92, y Júpiter y Venus los dioses que quieren hacerte mejor.

Entras en una etapa de grandes decisiones, y a partir de hoy tendrás que elegir entre lo desconocido por vivir, o lo conocido por sobrevivir. El mundo te abre sus puertas, pero sólo de ti depende qué pasos te dispones a dar.

Hoy tendrás una doble protección contra los riesgos, y podrás realizar aquellas aventuras que normalmente dejas pasar. No se trata de que te lances a un foso sin red, pero sí de que le quites las costras de la aparente seguridad a la vida. Quien no arriesga, no gana.

Tu número de la suerte para hoy es el 91, y Júpiter y Marte los dioses que se encargan de tu realización.

Hoy se cierra un ciclo de introspección, de mirar sobre todo en tu interior, para dar paso a un ciclo en el que te abrirás y expandirás a la vida. Los grandes males quedan atrás, superados con grandes remedios, y las sombras amenazantes desaparecerán poco a poco.

Tienes un gran poder de transformación, más grande del que te puedas imaginar, ya que puedes trocar lo peor por lo mejor, y elevar tu espíritu a las alturas más elevadas. Celebra un nuevo cumpleaños el día de hoy.

Tu número de la suerte para hoy es el 812, y Plutón y Neptuno los dioses transformadores de tu alma.

Este día podrás unir la inteligencia y el esfuerzo, la creatividad más fina y la materia más pesada y dura, porque hoy serás un ser luminoso y creativo, capaz de descubrir un mundo nuevo.

Hoy no habrá un trabajo que no puedas asumir, ni faena que no puedas cumplir, porque serás capaz de realizarlo todo con tus manos y tu mente. Apóyate en la gente de Escorpio y Acuario que conozcas, y sigue adelante con lo que te hayas propuesto.

Tu número de la suerte para hoy es el 811, y Plutón y Urano los dioses artesanos de tu creatividad.

Hoy podrás descansar de una larga etapa de trabajo, y podrás postrarte en la cima de lo que has conseguido. Deja pasar esta jornada para emprender de nuevo tu camino, y disfruta de la tranquilidad y de la paz de espíritu.

Tienes la tenacidad del acero, pero hasta la materia más dura y resistente puede mellarse con el uso, el abuso o el exceso de esfuerzo. Respira hondo, mira con otros ojos el mundo, y deja que sea el horizonte quien te traiga la energía solar del nuevo día.

Tu número de la suerte para hoy es el 810, y Plutón y Saturno los dioses estelares que rigen tu destino.

Poco a poco el alma se acerca a las luces del espíritu, y poco a poco el ser evoluciona hacia la nueva vida. Hoy tus meditaciones te abrirán las puertas de un mundo nuevo y maravilloso, y a tu espíritu le saldrán las alas de la conciencia interna.

Estás en un buen momento espiritual, y por tanto debes dejar a un lado, aunque sea sólo por hoy, los lazos materiales que te atan a los problemas de la Tierra. Deja volar a tu corazón.

Tu número de la suerte para hoy es el 89, y Plutón y Júpiter los poderosos dioses que llaman a tu espíritu.

La vida es un renacimiento constante, porque en realidad renacemos cada día, cada vez que sale el sol, cada vez que salimos al mundo, cada vez que damos un primer paso. Por tanto, nada se gana con apresurar o atrasar los cambios, porque los ciclos de la vida son constantes.

Hoy puedes renacer de tus cenizas, y destruir para construir una nueva vida, porque en ti sigue viva y latente la semilla del alma. Crea tu mundo, dibuja tu vida, diseña tu existencia entera.

Tu número de la suerte para hoy es el 8, y Plutón, el Gran Destructor, el dios que te anima.

Hoy te tocará tener paciencia con las personas que no son de tu agrado precisamente, ya que son queridas por una persona que tú respetas y quieres. A veces un pequeño sacrificio es útil, y a menudo un gran sacrificio es inútil.

Todas las cosas de la vida nos afectan en la misma medida que permitimos que nos afecten, así que no le des más vueltas a los posibles problemas, y vive feliz y a gusto a pesar de lo que suceda a tu alrededor. Si te tomas bien las cosas, siempre te sabrán mejor.

Tu número de la suerte para hoy es el 87, y Plutón y Venus son las deidades que te darán el bálsamo del consuelo.

Aunque parezca que todo está prácticamente decidido, no cejes ni cedas terreno. Lucha hasta el final por aquello que crees y quieres realmente. Insiste y persiste y ya verás cómo al fin lo consigues. Nunca es tarde si la dicha llega.

Haz acopio de tus virtudes y céntrate en ellas por escasas que éstas parezcan, ya que de la chispa más pequeña puede brotar el incendio más grande. Hoy es el día de triunfo de los humildes.

Tu número de la suerte para hoy es el 86, y Plutón y Mercurio los dioses planetarios que te sostienen.

Este día podrás sublimar y superar las asperezas, y si bien la mayoría de las cosas las harás con amor y ternura, por lo menos tendrás que poner en su lugar a una persona, hablándole con toda sinceridad y claridad, aunque sin rabia ni acritud.

No hay peor camino que el que no se recorre, ni mayor pena que la que no se expresa, así que no dejes pasar las cosas ni perdones antes de tiempo. Pon las cosas en claro desde el primer momento.

Tu número de la suerte para hoy es el 85, y Plutón y el Sol los dioses planetarios de tu fortaleza.

Durante esta jornada serás todo sentimiento, todo amor, todo ternura, y darás y recibirás de los demás las más hermosas emociones y una gran ternura. Bastará con un simple detalle para que te des cuenta que no hay nada como el calor de hogar.

Busca en tu entorno a personas de Cáncer, Piscis o Escorpio, y comparte con ellas tus más profundos sentimientos y tus más tiernas emociones.

Tu número de la suerte para hoy es el 84, y Plutón y la Luna las deidades que te llenarán de dulzura.

Hoy podrás trocar los malos modos por entendimiento,
ya que tendrás un punto de madurez que te permitirá
capear todo tipo de temporales, y de no entrar en pugna
con aquellas personas que no tengan el mismo grado de
madurez. Hoy pondrás paz.

Aunque no sea tu línea habitual, hoy serás capaz de
llevar la armonía allí donde vayas, y tus cualidades
artísticas, aunque dormidas, hoy despertarán y llenarás
tu vida y la de los demás de colores.

Tu número de la suerte para hoy es el 83, y Plutón y
Mercurio serán tus dioses garantes.

Es cierto que los contrarios se atraen, pero no es menos cierto que se repelen, así que hoy procura no entrar en conflicto ni en contradicción con los demás, ya que hasta los que tradicionalmente son mansos, este día se rebelarán.

Buen día, sin embargo, para exigir lo que creas justo, o para pedir aquello que hace tiempo que no te dan, ya que también tu alma, sobre todo ante las injusticias, estará revolucionaria y rebelde. Lo justo brillará al final del día.

Tu número de la suerte para hoy es el 82, y Plutón y Venus tus planetas protectores.

No hace falta que seas policía o militar para que te portes como todo un general de división, siempre a punto para dar órdenes o para imponer tu voluntad a los demás de una o de otra manera, por las malas o por las buenas, sobre todo hoy, que tu alma estará mandona y guerrera.

Este día no te destacarás por tu buen humor, pero sí por la fuerza de tu carácter y por la capacidad para tomar decisiones en los momentos más difíciles.

Tu número de la suerte para hoy es el 81, y Plutón y Marte los dioses planetarios que te dan fuerza y decisión.

Hoy se cierra un ciclo de tu vida donde han primado los pensamientos tormentosos y la búsqueda de paz emocional y equilibrio sentimental. A partir de hoy dejarás de buscar, y justo en ese abandono encontrarás de forma natural lo que no has encontrado escarbando en el fondo del alma.

Empieza una etapa normal en tu vida, que te dará una larga estabilidad, aunque tu alma siga siendo rebelde y aventurera.

Tu número de la suerte para hoy es el 712, y Venus y Neptuno las deidades estelares que limpian tu firmamento.

La fuerza de tu mente es más poderosa de lo que imaginas, y el poder del pensamiento positivo lo es mas todavía, porque todo eso que consideras la realidad, no es más que una elaborada construcción de tus pensamientos y tu mente. Construye de forma positiva tu propia realidad.

La vida puede ser tan compleja o tan sencilla como tú decidas o como tú la elijas, y si bien es cierto que tu realidad puede chocar con la realidad de los demás, seguirás adelante con la tuya.

Tu número de la suerte para hoy es el 711, y Venus y Urano los dioses que dan fuerza a tus pensamientos.

Buen día para escoger la senda estrecha y difícil, en lugar de dejarte engañar por la senda que parece amplia, luminosa y fácil, porque hoy la senda será lo de menos, y la verdadera recompensa se encontrará al final de la jornada.

Nada sabe tan delicioso como aquello que has conquistado con tu propio esfuerzo y con tus propios méritos, ya que la tranquilidad de conciencia no se compra con nada. Sigue con tu alma justiciera, y al final siempre ganarás la partida.

Tu número de la suerte para hoy es el 710, y Venus y Saturno las deidades que te señalan el camino verdadero.

La espiritualidad será la nota que ponga alegría a tu vida en este día, y aunque muchas personas que tienes alrededor no te comprendan, tu encontrarás en tus creencias la vía de elevación y superación.

Por otra parte, es un estupendo momento para viajar, para cambiar de residencia o para iniciar una empresa que te lleve lejos de tu ambiente habitual. Por una o por otra parte hay una fuerte tendencia a la elevación y a la expansión.

Tu número de la suerte para hoy es el 79, y Venus y Júpiter serán los dioses de tu crecimiento interior.

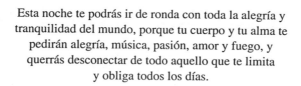

Esta noche te podrás ir de ronda con toda la alegría y
tranquilidad del mundo, porque tu cuerpo y tu alma te
pedirán alegría, música, pasión, amor y fuego, y
querrás desconectar de todo aquello que te limita
y obliga todos los días.

Excelente día para las diversiones y las vacaciones, e
incluso para darte un lujo y gastar un poco más de lo
normal, y es que a veces en las cosas más superfluas e
intrascendentes también se encuentra la felicidad.

Tu número de la suerte para hoy es el 78, y Venus y
Plutón los dioses estelares de tu transformación.

A menudo es más divertido y emocionante buscar el equilibrio que encontrarlo, ya que muchas de las cosas que deseamos nos cansan una vez que las hemos logrado. Así que sigue buscando.

Hoy no querrás contar con ayudas y facilidades, porque después los favores y los prestamos se tienen que pagar con creces. En todo caso, si has de pedir algo pídeselo a los extraños, para que tus deudas no adquieran un carácter emocional. Hoy contarás con fuerzas para liberarte.

Tu número de la suerte para hoy es el 7, y Venus, la del Cinturón Ceñido, la diosa que te bendiga y proteja.

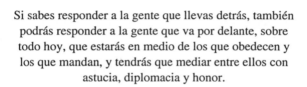

Si sabes responder a la gente que llevas detrás, también podrás responder a la gente que va por delante, sobre todo hoy, que estarás en medio de los que obedecen y los que mandan, y tendrás que mediar entre ellos con astucia, diplomacia y honor.

Hoy te ganarás las cosas a pulso, y la gente de Libra y Virgo te ayudará como pueda y como sepa, pero el ejemplo lo tendrás que poner tú.

Tu número de la suerte para hoy es el 76, y Mercurio y Venus serán los astros divinos de tu voluntad.

La vanidad bien entendida es tan positiva como la humildad bien desarrollada; y el egoísmo bien llevado, es tan valioso como el altruismo elevado. Por tanto, no dudes en sacarle lustre a tus virtudes el día de hoy, ni en sacar provecho de las oportunidades que te ofrezcan.

Recuerda que para dar, antes tienes que tener, porque no se puede dar lo que no se tiene. Regala lo que te sobre, los excedentes, pero no regales aquello que no tengas.

Tu número de la suerte para hoy es el 75, y Venus y el Sol los dioses planetarios que te dan lustre y esplendor.

Hoy no te permitirás ponerte enfermo o enferma, porque lo urgente no dejará tiempo para ningún tipo de dilaciones ni debilidades. Tu fortaleza será tu mejor opción, porque tus males no despertarán ninguna compasión.

Puedes exigir a tu persona todo lo que quieras, e incluso puedes marcarte las metas más altas, pero no esperes que los demás hagan lo mismo que tú, porque cada ser de este universo tiene su propia senda. Desea lo mejor para los demás, pero no los obligues a hacerlo.

Tu número de la suerte para hoy es el 74, y Venus y la Luna serán las diosas que vigilarán tu destino.

Para tener todas las opciones de triunfo, deberás preparar muy bien el terreno y hablar clara y abiertamente sobre lo que te viene rondando la cabeza desde hace tiempo. No dudes en hacerte publicidad o en darte promoción. Deja que los demás te conozcan.

La verdad no existe porque es sólo una visión parcial de lo que creamos y de lo que conocemos, pero eso no debe servir de excusa para decantarse por la mentira. Habla con sinceridad y recibirás la mejor respuesta.

Tu número de la suerte para hoy es el 73, y Venus y Mercurio serán los dioses que den fuerza a tu voz.

Hoy puede ser un día lleno de sensualidad y de pasión, de amor intenso y de amistad, ya que los que más se te parezcan estarán a tu lado, y tu príncipe azul o tu princesa encantada vibrarán por ti. Hoy el romanticismo será tu espada y tu flor.

El amor puede ser un riesgo, e incluso puede estar prohibido o ser peligroso, pero no hay riesgo ni peligro que se corra mejor. No le cierres la puerta a tus sentidos.

Tu número de la suerte para hoy es el 72, y Venus, la Diosa del Amor, será la que ampare tus deseos.

Hoy no te será nada fácil encontrar el equilibrio, sobre todo si te habías montado una estrategia y esperabas un resultado positivo para tus planes de ayer, ya que los astros irán por otra ruta y no podrás controlar su dirección.

Si dejas en libertad a los demás, también tú ganarás tu independencia, porque no hay mejor manera de hacer planes, que dejar que las cosas fluyan con toda normalidad. Y es que en las cosas más sencillas se encuentra la mejor magia del universo.

Tu número de la suerte para hoy es el 71, y Venus y Marte los dioses que estarán hoy de tu parte.

Las emociones estarán a flor de piel en este día, y podrás sentir en el fondo de tu alma la alegría y el amor. Tus mejores deseos se pueden convertir en una explosión de felicidad, convirtiéndote en parte de la historia de la humanidad.

Disfruta a fondo las cosas grandes y pequeñas de este mundo, porque no hay nada mejor que abrirle las puertas a la sensibilidad. No te guardes nada, y deja que fluyan las emociones el día de hoy.

Tu número de la suerte para hoy es el 618, y el Universo entero, la Luz Eterna, es la fuente de tu ser.

Hoy la gente de Aries te dará el impulso, la de Tauro te dará firmeza, la de Géminis la palabra, la de Cáncer protección, la de Leo aplaudirá tus triunfos, la de Virgo cuidará de tu salud, la de Libra te dará equilibrio, la de Escorpio la pasión de vivir, la de Sagitario alentará tus creencias, la de Capricornio te abrirá las puertas, la de Acuario será fiel compañera y la de Piscis te llenará de amor.

Hoy todos están a tu favor.

Tu número de la suerte para hoy es el 617, y el Círculo Zodiacal tu panteón protector.

Hoy tendrás la fortuna de cara, y desde un premio de la lotería hasta una salvación milagrosa pueden pasar por tu vida. Y no todo quedará ahí, porque también le traerás la fortuna a la gente que te quiere. Hoy gozarás de una gran protección.

Este día se pueden materializar muchos de tus sueños, y la materia de las fantasías se rozará con la materia de la realidad. Por tanto, no te niegues nunca el placer de soñar.

Tu número de la suerte para hoy es el 616, y la Parte de la Fortuna, la Diosa Tierra, tu deidad protectora.

Hoy las cosas que te sucedan vendrán amparadas por la ley del Karma, que no debes tomar ni como un premio ni como un castigo, sino como una compensación, un compromiso que has adquirido en otras vidas y que sólo en ésta puedes cumplir.

Por tanto, no te envanezcas con tus triunfos ni sientas culpable por tus errores, ya que lo que hagas o digas este día no dependerá completamente de ti.

Tu número de la suerte para hoy es el 615, y la Luna Negra la deidad que indica los lazos de tu Karma.

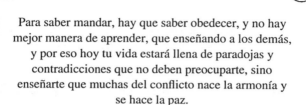

Para saber mandar, hay que saber obedecer, y no hay mejor manera de aprender, que enseñando a los demás, y por eso hoy tu vida estará llena de paradojas y contradicciones que no deben preocuparte, sino enseñarte que muchas del conflicto nace la armonía y se hace la paz.

Hoy tendrás a sensación de haber conseguido exactamente lo contrario de lo que te proponías, pero no dejes que eso te incline a desear exactamente lo que no deseas. Piensa siempre en positivo.

Tu número de la suerte para hoy es el 614, y la Cola del Dragón la posición celestial que te encamina.

Hoy tendrás la suerte de poder mandar y asumir el liderato, y aunque eso conlleve algunas responsabilidades consigo, no te impedirá descubrir una nueva faceta que hay en ti: la de persona triunfadora que es capaz de llevar las riendas en la mano.

La aprobación de los demás te dará el espaldarazo que necesitas para tener más seguridad en tus pensamientos y en tus actos.

Tu número de la suerte para hoy es el 613, y la Cabeza del Dragón la estela astral que te favorece.

Hoy termina un ciclo de servicio y entrega, una etapa de segundo plano y de cierta mala suerte, para dar paso a una época de estudio y crecimiento, que te permitirá acceder a nuevos planos de la vida.

Así que no temas al entorno ni al ambiente, ni a las críticas ni a los tópicos. Haz lo que tengas que hacer, y no lo que otros quieren o esperan que hagas, y haz lo que te haga sonreír y sentirte más grande y mejor, y no aquello que ponga en tu cara un gesto amargo.

Tu número de la suerte para hoy es el 612, y Mercurio y Neptuno los dioses que te dan alas.

Estás en un excelente momento para conocer mundo y viajar, para crecer intelectualmente y para saber de verdad lo que siempre has pretendido saber. Tu mente está abierta y receptiva, y tu alma revolucionaria y candente, así que no esperes más e inicia la ruta del conocimiento.

Más veces de las que te imaginas es suficiente con tener un poco de paciencia, constancia e ilusión, que tener un gran cerebro y una privilegiada inteligencia.

Tu número de la suerte para hoy es el 611, y Mercurio y Urano los planetas que promueven tu inteligencia.

Hoy te pondrán por las nubes, e incluso es posible que te ofrezcan una gran oportunidad o un jugoso contrato. Así que no dejes pasar a la Diosa de la Fortuna de largo, y confía en lo que te ofrezcan aunque te parezca demasiado.

Piensa con fuerza que tú puedes llegar a lo más alto, y que hasta lo más lejano está al alcance de tu mano. No dejes que te mareen las alturas, ni te escondas bajo las faldas de los acantilados, que las gotas de la fortuna pueden llover mañana en otro lado.

Tu número de la suerte para hoy es el 610, y Mercurio y Saturno los dioses que se ponen hoy de tu lado.

La fe mueve montañas, sobre todo cuando tus peticiones son para los demás, ya que de esa manera apartas de ti el egoísmo y el deseo, y la magia de tu espíritu puede volar. Dentro de ti hay un manantial de magia que nunca se acaba, porque mientras más bebes de él brota más magia.

Busca a tu alrededor gente de Virgo o de Sagitario, porque ellas podrán hacer por ti lo que tú haces por los demás, sobre todo hoy, que los astros están de tu lado.

Tu número de la suerte para hoy es el 69, y Mercurio y Júpiter las deidades que te inundan de magia.

No cabe la menor duda que la unión más perfecta es la espiritual, pero para llegar a ella antes se ha de pasar por saber unirse precisamente con quienes no son perfectos, sobre todo cuando uno mismo está muy lejos de serlo.

Hoy es un buen día para perdonar errores ajenos y para superar errores propios. Hoy es un buen día para la comprensión y el entendimiento. Porque hoy es un día excelente para que bucees dentro de ti, y descubras el hilo de tus verdaderos sentimientos.

Tu número de la suerte para hoy es el 68, y Mercurio y Plutón los dioses que te renuevan por dentro.

Si aún no sabes que quieres ser de mayor, entre otras cosas porque tienes demasiadas habilidades, deja de preocuparte por tu vocación, y escoge una sola cosa, un solo reto, para llevarlo a cabo a partir del día de hoy, y, cuando lo acabes, empieza con un nuevo reto.

Es bueno perfeccionar lo que se hace bien, pero a veces es más importante aprender a hacer lo que no se sabe hacer, sobre todo cuando el futuro es incierto.

Tu número de la suerte para hoy es el 67, y Venus y Mercurio los dioses de tu pensamiento.

A menudo la maldad y la bondad son caras de una misma moneda, lo mismo que el pecado y la virtud, así que no pierdas el tiempo en ponderar lo positivo y lo negativo y haz lo que tu conciencia te indique y ve a dónde tu corazón te lleve.

Eres la mejor persona para organizar la vida de los demás, pero no debes poner esta característica de pretexto para no organizar tu propia vida. Sirve a los demás, pero no dejes nunca de servirte a ti mismo.

Tu número de la suerte para hoy es el 6, y Mercurio, el joven dios, tu planeta regente.

Hoy el clima de tu vida puede vaticinarte tormentas,
pero eso no debe arredrarte, ya que es más que sano
mojarse de vez en cuando y dar la cara al mal tiempo,
porque eso te renueva y te fortalece, y te da más valor
para enfrentar nuevos retos.

Huye hoy de la falsa placidez, porque el truco del
avestruz no es suficiente. No hay problema más
sencillo que el que se enfrenta, ni más difícil y
duradero que el que se obvia.

Tu número de la suerte para hoy es el 65, y Mercurio y
el Sol los dioses que te empujan y te protegen.

Busca en tu entorno a personas de Cáncer y Virgo, y
pasa un buen rato con ellas, comiendo, celebrando,
bebiendo, porque ellas te cuidarán y procurarán que
todo esté en su punto y que sea bueno.

Déjate mimar y querer aunque sea sólo por un día, y no
te preocupes de los demás ni un solo momento. Aparta
por un día de tu lado a quienes no te acaricien, y
entrégate a quienes te den momentos buenos.

Tu número de la suerte para hoy es el 64, y Mercurio y
la Luna, las divinidades que te miman y te quieren.

Aunque todo el mundo te diga lo contrario, la verdadera riqueza no está en las posesiones, sino en el alma, y tú tienes una alma luminosa que vale más que todas las monedas y todos los metales preciosos. El dinero se pierde o se gasta, mientras que el alma nunca se acaba.

Hoy dormirás mejor y le encontrarás más sentido a la vida, si eres capaz de romper, aunque sea anímicamente, con los lazos materiales que nos atan a esta Tierra.

Tu número de la suerte para hoy es el 63, y Mercurio, el de los pies alados, el dios que anima tu alma.

Cuando la roca es demasiado dura, cuando las cimas son demasiado altas y cuando los caudales son demasiado amplios y procelosos, entran en juego la paciencia, el ingenio, el humor y la constancia.

Hay luchas y guerras que no se ganan con la fuerza ni con el enfrentamiento, sino con la astucia, la invención, el amor y el entendimiento, y precisamente hoy en tu alma se ha instalado este tipo de guerrero que te ayudará a vencerlo todo sin ansia y sin miedo.

Tu número de la suerte para hoy es el 62, y Mercurio y Venus los pequeños dioses que te auxilian en todo momento.

Excelente jornada para hacer cosas que nunca has hecho, o para tener aficiones que nunca has tenido. Hoy se amplían los horizontes de tu universo, y gracias a ello tomarás decisiones que jamás se te hubieran ocurrido antes.

Hoy entras en los caminos del descubrimiento, y en ellos hallarás nuevas virtudes, nuevos pecados, nuevos placeres, nuevos sentimientos. Estudia e investiga en todo momento, porque la vida está llena de secretos.

Tu número de la suerte para hoy es el 61, y Mercurio y Marte los planetas de tu nuevo universo.

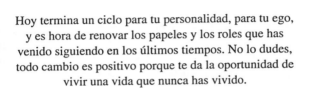

Hoy termina un ciclo para tu personalidad, para tu ego, y es hora de renovar los papeles y los roles que has venido siguiendo en los últimos tiempos. No lo dudes, todo cambio es positivo porque te da la oportunidad de vivir una vida que nunca has vivido.

Tienes un abanico lleno de colores delante de tu ser interno, y tú sólo tienes que decidir con qué color vas a pintar de ahora en adelante tu universo.

Tu número de la suerte para hoy es el 512, y el Sol y Neptuno los dioses que velan por tu talento.

Si piensas con el corazón y sientes con la mente, tus pensamientos serán inflamados, pero serán más fríos tus sentimientos. Hoy tendrás que poner cada cosa en su lugar para que ruede sin tropiezos la rueda del universo.

Por eso, y aunque no lo parezca, es un día excelente para que los contrarios se pongan de acuerdo, sin que ninguno de los dos tengan que perder su esencia. No lo dudes, tú puedes ser mejor siendo la misma persona de siempre.

Tu número de la suerte para hoy es el 511, y el Sol y Urano los dioses opuestos que en ti se ponen de acuerdo.

Buen día para firmar contratos o para llegar a asuntos o
puntos concretos. Las divagaciones del pasado entran
hoy en un proceso de solidificación, y por ello, hoy
podrás acabar por fin con un largo trabajo, o poner en
marcha un antiguo proyecto.

El orden y el gobierno, la disciplina y la concreción son
los elementos que alientan tu vida, así que no huyas
más de darle el punto final a lo que antes era sólo una
idea o sólo un deseo.

Tu número de la suerte para hoy es el 510, y el Sol y
Saturno los dioses que concretan tu universo.

Las fuerzas del universo se han puesto de acuerdo hoy para darte un toque de fama, gloria o ascenso, y tanto la Diosa de la Fortuna, como el Dios del Esfuerzo, estarán a tu lado para que extraigas lo mejor del universo.

Deja que tu ser crezca y se expanda por todo el universo sin ningún temor y sin ningún miedo, y acomete esas empresas que siempre has dejado para mejores tiempos. Ahora y aquí es el mejor momento.

Tu número de la suerte para hoy es el 59, y el Sol y Júpiter los dioses que promocionan tu ascenso.

Hoy puedes tropezar con una persona o con un hecho más que interesante, algo que puede llevarte al éxtasis o que puede abrirte nuevas puertas, nuevas fronteras, más allá de tu propia persona. Deja que la magia inflame tu ser interno.

Nada mejor que una gran sorpresa para desprenderse del ego, y nada mejor que una nueva y diferente experiencia para elevar los sentidos y los sentimientos. No pierdas nunca la capacidad de sorprenderte.

Tu número de la suerte para hoy es el 58, y el Sol y Plutón los dioses que mueven tu universo.

La bondad y la generosidad inundan hoy las fuentes de tu corazón, pero no debes dar más de lo que te pidan, ni debes ayudar a quien no lo solicite, para que tu generosidad no se pierda como el viento.

Hoy tendrás el corazón de oro, y serás una persona plena de lealtad y nobleza, pero recuerda que hasta lo más bueno del mundo necesita un equilibrio, porque en realidad ningún exceso es bueno. Por lo menos esta vez no piques el anzuelo.

Tu número de la suerte para hoy es el 57, y el Sol y Venus los planetas que elevan tus sentimientos.

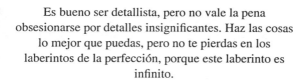

Es bueno ser detallista, pero no vale la pena obsesionarse por detalles insignificantes. Haz las cosas lo mejor que puedas, pero no te pierdas en los laberintos de la perfección, porque este laberinto es infinito.

Puedes lucir tus mejores galas, y sacarle brillo a tus hechos y a tus medallas, pero hazlo en el lugar y en el momento adecuados, porque más vale caer en gracia que ser agraciado.

Tu número de la suerte para hoy es el 56, y el Sol y Mercurio los dioses que dan brillo a tu alma.

Si viviéramos en una monarquía, tú estarías en la corte y serías reina o rey, porque, no lo dudes, naciste para ser una persona rica, millonaria, bella y famosa, lo que pasa es que el mundo no te comprende.

Vive todas las fantasías que quieras imaginarte y disfruta con ellas lo más que puedas, aunque, eso sí, debes mantener por lo menos un pie bien puesto en el suelo y apegado a la realidad.

Tu número de la suerte para hoy es el 5, y el Sol la regia divinidad que te sostiene.

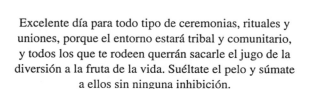

Excelente día para todo tipo de ceremonias, rituales y uniones, porque el entorno estará tribal y comunitario, y todos los que te rodeen querrán sacarle el jugo de la diversión a la fruta de la vida. Suéltate el pelo y súmate a ellos sin ninguna inhibición.

Buen día para acercarte a tus padres, para honrarlos o para seguir sus costumbres y tradiciones. No renuncies nunca a la raíz profunda de tus orígenes.

Tu número de la suerte para hoy es el 54, y el Sol y la Luna tus dioses regentes.

Hoy tendrás el ánimo movido, nervioso y con ganas de comerse el mundo por todos lados. Tendrás hambre de amor, hambre de ideas, hambre de cosas y hambre de todo, así que procura ir por partes y no atracarte.

Tus corazonadas son buenas, pero no debes confundirlas con la irreflexión, la ansiedad o la precipitación. Conserva tu energía, no la deseches, simplemente ordénala para que te dé poco a poco lo que persigues y pretendes.

Tu número de la suerte para hoy es el 53, y el Sol y Mercurio los planetas que te impelen.

No dejes para pasado mañana las cosas que ya debiste
haber hecho anteayer, ni permitas que la pereza haga
presa de tu ánimo. Date un largo descanso el día de
hoy, pero ponte en marcha en cuanto hayas descansado.

Es bueno pensar y dejar volar la imaginación, pero no
hay que dejar que todo se quede en las nubes. Recuerda
que no hay pensamiento ni deseo que no se pueda
convertir en sólida y firme realidad.

Tu número de la suerte para hoy es el 52, y el Sol y
Venus tus planetas protectores.

Hoy se inicia una etapa de fortuna y de buena suerte,
pero no te acomodes demasiado ni dejes que la vanidad
y los triunfos te desvelen, que a menudo lo que
consideramos más elevado e importante no es más que
un caramelo que devora nuestro ego.

Busca en tu entorno a personas de Aries y Leo, y
comparte con ellos las pasiones y las ambiciones de la
vida, pero no su tradicional egoísmo.

Tu número de la suerte para hoy es el 51, y el Sol y
Marte tus dioses aliados en todo momento.

Hoy termina un ciclo emocional en tu vida, y ha llegado a hora de renovar los sentimientos, de mejorarlos, de elevarlos y de llevarlos cada vez más lejos. No dudes en cambiar tus tristezas por alegrías, y tus lágrimas por risas, y no temas nunca a empezar de nuevo.

A partir de hoy comienza el resto de tu vida, y nada debe impedirte que este nuevo nacimiento vital se haga en un ambiente de amor y de armonía.

Tu número de la suerte para hoy es el 412, y la Luna y Neptuno las divinidades que alumbran tu renacimiento.

Hoy tendrás el altruismo a flor de piel, e intentarás solucionar todos los problemas del mundo y traer la paz a la Tierra. No es fácil lo que te propones, pero como nada es imposible en este universo, ve sembrando las semillas de tus mejores deseos para que florezcan algún día.

Cada acto positivo individual, por pequeño que sea, por humilde que parezca, es un gran paso para la humanidad, ya que tarde o temprano todos recorrerán el mismo sendero.

Tu número de la suerte para hoy es el 411, y la Luna y Urano los dioses que dan sentido a tu existencia.

Busca entre la gente de tu entorno a aquellas que sean Cáncer o Capricornio, y comparte con ellas tus deseos, planes, proyectos y aspiraciones. Aprende a confiar en los demás, pero antes aprende a confiar en ti mismo o en ti misma.

A menudo las personas que nos parecen más ajenas o más molestas, son precisamente las que más se parecen a nosotros. No huyas de ellas, porque si aprendes a comprenderlas, entenderás mejor a tu propio corazón.

Tu número de la suerte para hoy es el 410, y la Luna y Saturno las deidades que velan por tu elevación.

Hoy gozarás de una gran protección de parte de todos
los que mandan o deciden, y tu suerte se expandirá por
todos lados y hasta el último rincón del universo. Pide
un deseo con toda la fuerza de tu corazón, y se te
cumplirá por imposible que parezca.

No hay creencias falsas ni verdaderas, ni factibles ni
imposibles, porque todo depende de la fuerza y la
firmeza con que las creas.

Tu número de la suerte para hoy es el 49, y la Luna y
Júpiter los dioses promotores de tus creencias.

El universo es infinito, la existencia es infinita, y las vidas sólo son puntos en la línea continua. El ser que eres y la luz que emanas es eterna, existe hoy como ayer, y existirá por siempre y para siempre. Míralo todo desde este escalón, y verás qué poca importancia tiene todo lo demás.

Déjate inundar hoy por la magia, abre las puertas de tu alma al éxtasis del amor universal, y verás cómo las barreras del dolor y del mal se rompen solas.

Tu número de la suerte para hoy es el 48, y la Luna y Marte las mágicas deidades que te iluminan.

Si quieres vencer a tus enemigos, si quieres superar tus barreras, debes partir primero de ti, ya que nadie podrá contigo si la fuerza del alma radica en ti. Recuerda que en este universo no hay más límites que los que tú quieras definir.

Hoy serás todo un artista en todo lo que hagas, pienses o digas, y para lograrlo todo en el mundo lo único que tienes que hacer es creer en ti. No temas nunca fundirte con el universo entero.

Tu número de la suerte para hoy es el 47, y Venus y la Luna los divinos planetas que te elevan.

La intuición será hoy tu mejor guía, ya que desde los sueños hasta lo que sienta y presienta tu corazón, serán las líneas que creen tu destino en este día. Llénate, por tanto, de amor y de ideas positivas para que los astros te den lo mejor de lo mejor.

Deja que tu alma sea tan limpia como la de un bebé, y disfruta de la magia de la inocencia. Recuerda que siempre hay un niño en ti, dispuesto a descubrir todas las maravillas de la vida.

Tu número de la suerte para hoy es el 46, y Mercurio y la Luna las deidades de tu firmamento.

Planta una semilla, escribe un libro, crea una familia, da cobijo a quien más te necesita, porque hoy serás como una madre o como un padre para todos los demás. Deja que la fertilidad cuaje en ti, asume tu responsabilidad.

Hoy serás como un cuenco que lo contiene todo, así que no busques las respuestas en el exterior, porque el universo entero se haya en tu interior. Que el fluir sea tu fuerza, y la felicidad una forma de caminar, no una meta.

Tu número de la suerte para hoy es el 45, y la Luna y el Sol las luminarias divinas que inundan tu alma.

Dedica esta jornada a tu hogar, a tu pueblo, a tu patria,
a tus rasgos de identidad. Busca o recupera el amor de
los tuyos, perdona a los que te hayan ofendido y pide
disculpas sinceras. Barre los malos momentos y atesora
lo mejor de tu existencia.

Las relaciones familiares, más allá de toda torpeza
humana, son la fuente del amor que alienta tu vida.
Deja que brote este manantial libremente, y nunca te
faltará el licor que refresque tu alma, tu cuerpo y tu
mente.

Tu número de la suerte para hoy es el 4, y la Luna,
Madre Eterna, es la diosa que te ampara.

Hoy tendrás la capacidad de animar a los demás, de inyectarles energía y valor para acometer todo tipo de empresas. Eso sí, no te olvides de ti, y guarda un poco de ese ánimo mágico para ti mismo o para ti misma.

A menudo tirar del carro nos deja sin fuerzas para llegar a la meta, y las cargas que en un principio son nuestra razón de ser, pueden convertirse en un lastre que nos impida seguir adelante. No permitas que esto te suceda a ti.

Tu número de la suerte para hoy es el 43, y la Luna y Mercurio los dioses planetarios que animan tu existencia.

Hoy serás el mejor cocinero o cocinera del mundo,
tanto par confeccionar un plato como para preparar la
vida entera. Un poco de cariño, una cucharada de
paciencia, una dosis de comprensión, unas gotas de
firmeza y toneladas de amor: esa es tu mejor receta.

Hoy tienes la capacidad de transformar el mundo que te
rodea, llenándolo de paz y tranquilidad, y encontrando
el equilibrio perfecto. Esta es la magia de la vida, y el
don que te dieron los dioses en tu nacimiento.

Tu número de la suerte para hoy es el 42, y la Luna y
Venus tus hados padrinos en el universo.

Hoy la discreción será tu mejor arma para seducir al mundo que te rodea, aunque, eso sí, debes abrirte y lanzarte en el momento adecuado para conseguir lo que en el fondo deseas. Escucha a tu corazón, y actúa en consecuencia.

Responde con una sonrisa a quienes quieran amargarse o amargarte el día, y con amor y ternura a quienes sufran un ataque de ira. Recuerda que si uno no quiere, dos no se pelean. Aunque no lo parezca, también se aprende a disfrutar de la vida.

Tu número de la suerte para hoy es el 41, y la Luna y Marte las deidades que protegen tu ser interno.

Este día terminas un ciclo, que aunque corto, pudo haber sido intenso, así que no temas ver negro lo que ayer veías blanco, ni ver blanco lo que ayer veías negro, porque esta vez sí se debe a que has aumentado tus conocimientos, y a que te has quitado una venda de los ojos.

Aprovecha este día para visitar a los viejos amigos, a los parientes enfermos, a aquellos que te necesiten, y dales un poco de eso nuevo que hay en ti: comparte tanto tu bienestar, como tu amor y tus conocimientos.

Tu número de la suerte para hoy es el 312, y Mercurio y Neptuno los dioses planetarios que te abren las puertas de un nuevo mundo.

Hoy no habrá examen, prueba o entrevista que se te resista, ya que estarás en plenitud de facultades y una fuerza interior hará que tu espíritu sea de lo más positivo. Tu inteligencia no es nada despreciable, pero el ánimo es un buen tónico para ella.

No temas revolucionar el mundo por un momento, ya que de todas las revoluciones al final ha salido algo positivo y siempre nuevo. Siempre vale la pena el esfuerzo.

Tu número de la suerte para hoy es el 311, y Mercurio y Urano los dioses que iluminan tu camino.

Hoy es un día perfecto para iniciar un régimen o para cambiar de hábitos, ya que en tu ser interno hay una firme vocación de mejora y de cambios positivos para ti y para los tuyos. Hoy podrás concretar lo que ayer sólo era un deseo o una idea.

Excelente jornada para dar el primer paso, ya que sólo te separa del triunfo la primera decisión, el impulso inicial, el móvil primario. Empieza hoy, que desde ayer la recompensa te está esperando.

Tu número de la suerte para hoy es el 310, y Mercurio y Saturno los dioses que te apoyan en todo.

Las enfermedades psicosomáticas pueden nacer en la mente, pero tarde o temprano terminan afectando al organismo, y aunque tú puedes ser un buen médico, eres una persona que no sabe ni debe enfermarse si no es por accidente o contagio.

En la medida que cures y alivies a los demás, te curarás y aliviarás a ti mismo o a ti misma, porque en tu ser interno está el espíritu de superar el mal y la enfermedad.

Tu número de la suerte para hoy es el 39, y Mercurio y Júpiter los dioses que te elevan a lo más alto.

No es el mejor día del año para guardar un secreto, pero sí es el mejor día del año para escribir un poema, para intentar el triunfo en un concurso literario, o para expandir una noticia por el mundo entero. Hoy el aleteo de una mariposa en China, moverá los vientos de América.

Concéntrate bien, dirige la mente y el pensamiento al lugar adecuado, y muy pronto obtendrás la noticia o la buena nueva que estás esperando.

Tu número de la suerte para hoy es el 38, y Mercurio y Plutón los dioses que llevarán tu barco a buen puerto.

Dicen que del odio al amor sólo hay un paso, y tú puedes dar ese paso el día de hoy perfectamente, ya que puede brotar la chispa de la pasión entre tú y una persona con la que discutes a menudo.

Por otra parte, es una excelente jornada para ponerte en contacto con primos y hermanos, así como con personas que puedan resolverte un problema o echarte una mano, porque estarán dispuestas a apoyarte. Simplemente pide, y te será dado.

Tu número de la suerte para hoy es el 37, y Mercurio y Venus los dioses que se pondrán de tu lado.

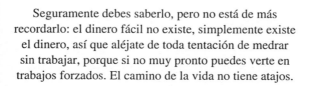

Seguramente debes saberlo, pero no está de más recordarlo: el dinero fácil no existe, simplemente existe el dinero, así que aléjate de toda tentación de medrar sin trabajar, porque si no muy pronto puedes verte en trabajos forzados. El camino de la vida no tiene atajos.

Sí, tu mente está fértil e inquieta el día de hoy, con ganas de encontrarle tres pies al gato, así que en lugar de perder este valioso don, aprovéchalo escribiendo, pintando, creando, y verás cómo la vida te trata mejor.

Tu número de la suerte para hoy es el 36, y Mercurio, el Mensajero de los Dioses, tu mejor compañero.

Hoy puede ser el inicio de una gran amistad, e incluso
de una gran amistad que con el tiempo se transforme en
profundo amor. Sin embargo, si empiezas la casa por el
tejado o por el flechazo, el amor puede echar a perder
una buena amistad.

Cada cosa en su lugar y cada remedio en su medida y a
su tiempo, para que los ciclos de los astros estén a tu
favor y no en tu detrimento. Si hoy empiezas por el
principio, tendrás un buen y feliz final.

Tu número de la suerte para hoy es el 35, y Mercurio y
el Sol tus dioses protectores y amigos.

Aunque el día de hoy tengas la mente más ágil y despierta que nunca, procura no pecar de pedante ni de inteligente, porque más de una persona estará pendiente de los fallos que tengas al hablar o al expresarte. No vayas con miedo, pero sí con precaución.

Hoy podrás ser una o un observador de excepción, incluso el o la mejor periodista del mundo, pero procura contrastar la información y no hacer críticas negativas. No dejes que la imaginación desvelada sea tu guía.

Tu número de la suerte para hoy es el 34, y Mercurio y la Luna tus astros del día.

Hoy tendrás una capacidad de comunicación más que sorprendente, y podrás convencer a todos de lo que digas y de lo que pienses. Por tanto, intenta hablar con sinceridad y pensar positivamente, para que el día de mañana no tengas que dar marcha atrás.

Busca entre tus allegados a una persona de Géminis, y haz lo que esta persona tenga de positivo, y evita lo que esta persona tenga de negativo, porque en su espejo te reflejarás perfectamente.

Tu número de la suerte para hoy es el 3, y Mercurio, el Dios Alado, tu protector recurrente.

Aunque te parezca increíble, hoy tu mente estará reposada y hasta reflexiva, y no sería nada raro que te replantearas de nuevo tu vida. Por tanto, es un excelente día para que hagas promesas, ya que tendrás la fuerza de voluntad que hace falta para cumplirlas.

Busca entre tus allegados a una persona de Tauro, y dale toda tu ayuda de manera efectiva y al contado, sin tacañerías, porque todo lo que le des, te será pagado desde los cielos con creces.

Tu número de la suerte para hoy es el 32, y Mercurio y Venus los dioses que incrementarán tus bienes.

La ruta de tu pensamiento no siempre recorre la misma
ruta que tus acciones, pero hoy se encontrarán frente a
frente y podrás encontrar esa congruencia que a
menudo te hace falta para el triunfo.

Hoy tu mente será tan ágil como decidida, y tan
impulsiva como astuta para lograr la atención de los
demás, pero vigila con lo que prometes o con lo que
deseas, porque hoy todo lo que digas se te cumplirá.
Piensa bien, piensa en positivo, y acertarás.

Tu número de la suerte para hoy es el 31, y Mercurio y
Marte los hados que harán realidad tus palabras.

El día de hoy terminas con un ciclo de tu vida, y hoy mismo empiezas con un ciclo nuevo, así que deja atrás a quien no te ame ni te necesite, y sigue a quien te abre el corazón de par en par. No llores por lo que se ha perdido, y ríe por todo lo que tienes que ganar.

La vida es un continuo de pendientes y subidas, de calles anchas y estrechas avenidas, de mares en calma y de huracanes, porque es abundante y rica, y los dioses te la han dado para que la vivas con intensidad.

Tu número de la suerte para hoy es el 212, y Venus y Neptuno los dioses que te invitan a nadar en el mar de la vida.

Hoy tendrás muchas facilidades y muchas oportunidades para aprender, leer, estudiar y crecer intelectualmente, pero sólo de ti dependerá dar el paso final hacia un nuevo y más elevado plano de conciencia.

No importa el tiempo que te tome, y tampoco importa la edad que tengas, porque lo que realmente importa es que sepas que tienes más capacidades de las que has imaginado capaz. Y no hace falta que creas o no en ti mismo o en ti misma, sino que te pongas manos a la obra.

Tu número de la suerte para hoy es el 211, y Venus y Urano los dioses protectores de tu mente.

Aunque no te lo hayas propuesto conscientemente, hoy te verás con más responsabilidades de las que esperabas en un principio, y crecerás y aumentarás tu prestigio incluso en el caso de que no lo quieras.

Cada paso que des en la vida a partir del día de hoy traerá consigo una nueva promoción, pero también una nueva responsabilidad. Y tu labor más ardua será saber equilibrar aquello que amas con aquello que deseas.

Tu número de la suerte para hoy es el 210, y Venus y Saturno las inteligencias celestiales que te alientan.

Hoy le darás una nueva oportunidad a los que han
fallado, a los que se han equivocado, pero no por
dárselas debes olvidar cuál ha sido su error o su fallo,
para que mañana no te sorprendan con la desilusión.

Aunque no lo creas, la realidad es que los demás no
fallan ni se equivocan, la que falla y se equivoca es
nuestra ilusión, la idea que nos hacemos de los demás,
el trono donde los colocamos sin que nos lo pidan.
Por tanto, si no elevas a nadie, nadie caerá.

Tu número de la suerte para hoy es el 29, y Venus y
Júpiter los dioses que apostarán por ti.

Es muy posible que hoy encuentres a la horma de tu zapato, o a tu contrario perfecto, a ese ser con el que puedes encajar perfectamente aunque seáis completa y diametralmente distintos. Buen día para amar con intensidad, incluso si no esperas nada más.

El amor y la pasión pueden ir perfectamente de la mano, pero a veces les da por caminar por separado, y sólo de ti depende dónde quieres que se encuentren. Escorpio o Tauro pueden darte la solución.

Tu número de la suerte para hoy es el 28, y Venus y Plutón los dioses que luchan de tu lado.

Hoy es un día perfecto para encontrar la armonía, la belleza, el arte o lo creativo, porque hoy los astros le darán a tu alma la capacidad de dar luz y vida a todo y a todos los demás. No intentes controlar tu fertilidad y dale rienda suelta al duende que llevas dentro.

El frío y el viento pueden alentar tu pensamiento, pero no te engañes, nunca podrán alentar el amor ni el arte que llevas dentro, porque esos nacen del caldero del alma. Enciende la flama y serás de verdad una persona afortunada.

Tu número de la suerte para hoy es el 27, y Venus la diosa instalada dentro de tu alma.

El amor de tu vida es el amor de verdad, y puede
encontrarse en una persona que esté muy cerca de ti,
pero también puede encontrarse en tu interior y sólo
estar esperando para salir. No lo dudes, lo mejor del
universo está dentro de ti, y a partir de tu ser interno
todo lo demás es compartir.

En dar y en recibir está el equilibrio perfecto, ya que si
sólo das tarde o temprano encontrarás vacío, y si sólo
recibes muy pronto encontrarás hastío. Hoy puedes
conseguir el equilibrio.

Tu número de la suerte para hoy es el 26, y Venus y
Mercurio los dioses regentes de tu ser.

Desde la cosa más pequeña hasta la más grande que hagas el día de hoy, será para ti como un hijo, como una señal, porque tus creaciones lucirán y brillarán por encima de todos y de todo, sin importar lo humildes o lo importantes que sean.

No dejes que los demás te impongan el camino, ni dejes que los ejemplos te acomplejen, porque tú eres tan importante como las estrellas y los planetas, un ser único e irrepetible por siempre jamás.

Tu número de la suerte para hoy es el 25, y Venus y el Sol las deidades que te dan brillo y esplendor.

Excelente día para dedicarlo al hogar, a la casa, a los tuyos. Prepara un buen plato, arregla y embellece tu alrededor, y entrega todo el amor que llevas dentro a los que más quieres, sin esperar nada a cambio, sólo por el gusto interior de hacerlo, simplemente, nada más.

La vida tiene mil formas de crecimiento, amor, satisfacción, sensualidad, triunfo y ganancias, y no tienes porque renunciar a ninguna de ellas. Vive la vida exactamente como más te llene y más quieras, así de fácil, nada más.

Tu número de la suerte para hoy es el 24, y Venus y la Luna las diosas que te aman sin cesar.

Toda la tranquilidad de la mañana se romperá hacia medio día, porque de pronto te van a pedir que te decidas, que digas que sí o que no, así que, si aún estás a tiempo, prepara tu discurso y piensa de antemano qué es lo que quieres de la vida, para que elijas lo mejor.

Si no sonríes ahí donde estás, es que ese no es el mejor lugar para ti. No hagas lo que te impongan los compromisos, haz lo que te llene a ti de amor, paz, alegría, satisfacción y felicidad.

Tu número de la suerte para hoy es el 23, y Venus y Mercurio los dioses que se pondrán a tu favor.

Hoy podrás tocar con tus propias manos aquello que creías imposible, así que no dejes que la timidez asome la cabeza y disfruta de todo lo que los astros pongan a tu alcance y a tu alrededor. No dejes que la vida o el mundo pasen de largo, porque hoy serás el protagonista y no el espectador.

No hay nada en este universo que sea imposible, porque todo lo que hizo Dios para las estrellas también lo hizo para los seres humanos, sólo hace falta que extendamos las manos para que Dios nos inunde de su amor. A qué esperas.

Tu número de la suerte para hoy es el 22, y Venus la magnífica diosa que te baña con su halo protector.

La constancia y la paciencia son tus mejores armas para hoy, ya que tendrás que detener los remolinos de la vida y las tormentas que haya a tu alrededor. Podrías ser el rey o la reina del mundo, porque muchas cosas dependerán de ti, pero no debes caer en la tiranía ni en la trampa de la vanidad.

Lo peor de tenerlo todo a favor, es pensar que un día se puede acabar, y lo mejor de tenerlo todo en contra, es que seguramente se acabará algún día. No te acostumbres ni a lo bueno ni a lo malo de la vida, y sigue abriendo caminos a tu alrededor.

Tu número de la suerte para hoy es el 2, y Venus y Marte los dioses que te velan con amor.

Hoy se cumple para ti un ciclo entero, y, por tanto, ha llegado el momento de cambiar, de dar un paso adelante, de saltar sin mirar atrás, porque un nuevo universo se abre ante ti para que subas un peldaño en el camino de tu ascensión.

Desecha lo que no te sirva, aparta lo que te estorbe, limpia lo que te ensucie la vida, levanta la vista hacia el futuro y empieza de nuevo, porque hoy has vuelto a nacer en compañía de los ángeles del cielo.

Tu número de la suerte para hoy es el 112, y Marte y Neptuno tus dioses salvadores.

Para que la Luna brille hace falta que el Sol le dé calor, y para que el amor crezca hay que alimentarlo con el corazón, sobre todo hoy que tu alma está llena de fraternidad y humanitarismo. Así que no dejes que una sola nube te robe la luz, porque detrás de la nube sigue brillando el sol.

La mente que piensa positivamente encuentra respuestas positivas a sus problemas, y la que piensa negativamente a menudo ni siquiera se da cuenta de que los problemas existen.

Tu número de la suerte para hoy es el 111, y Marte y Urano los dioses que ponen en marcha tu mente y tu reloj.

Hoy podrás llegar a una meta elevada, ya que el triunfo del primer impulso te pertenece a ti y sólo a ti. Pero no olvides que a menudo es más difícil mantenerse que llegar, así que procura que tus logros no sean flor de un día, e intenta ir siempre un poco más allá.

El triunfo y la fama están reservados para unos cuantos, pero el camino que va hacia estos puntos no está vetado a nadie. No temas y comienza el ascenso, por más que la cumbre se vea muy lejana.

Tu número de la suerte para hoy es el 110, y Marte y Saturno tus mejores aliados en el triunfo.

Haz de tu vida este día una empresa. Emprende, inicia, propón, diseña, prepara, conquista, da ese paso importante que nunca das. No dependas de nadie ni de nada, confía en tus propias fuerzas y expande tu ser por donde vayas, porque hoy la victoria la tienes garantizada.

Hoy podrías ser ese misionero o misionera capaz de salir de casa y conquistar el mundo, porque hoy el mundo se abre para ti de par en par. Sólo tienes que empujar la puerta y subir a ese caballo que te espera para llevarte más allá de tus fronteras.

Tu número de la suerte para hoy es el 19, y Marte y Júpiter los dioses regentes que te inflaman el alma.

Hoy no habrá secreto que se te resista, ni plaza que
defiendas que pueda ser vencida por los enemigos,
porque tu alma el día de hoy será una guerrera que no
cederá ante nada, y tu tenacidad una garantía para ganar
cualquier batalla. Borra de tu mente la palabra derrota,
y ve a por todas pensando sólo en triunfar.

Deja a un lado las tentaciones y destierra de tu corazón
a las debilidades, porque el día de hoy te protegen las
fuerzas más poderosas del universo para que sublimes
y eleves todos tus actos.

Tu número de la suerte para hoy es el 18, y Marte y
Plutón te dan fuerza y te protegen.

Desde el mismo instante en que nacemos la vida es una carrera de obstáculos y retos que decantan en la luz del más allá, por lo que lo más importante de todo es el trayecto. Así que no desesperes por las barreras que tengas que saltar, porque cada una que venzas te hará una persona más sólida y más fuerte.

La belleza del cuerpo es engañosa y efímera, pero la belleza del alma es cada vez más resplandeciente. No te dejes cegar por la belleza externa y déjate guiar por lo que sientes internamente.

Tu número de la suerte para hoy es el 17, y Venus y Marte las divinidades que te dan belleza y pasión.

Es muy posible que hoy encuentres a ese ser especial
que tanto has estado esperando y buscando. Por tanto,
como los buenos platos de la vida, ni lo idealices ni te
lo comas de un solo bocado. Dale tiempo al tiempo y
no dejes que las ansias o las prisas den al trasto con tu
hallazgo.

Dale una oportunidad a tus verdaderos sentimientos,
pero no esperes que nadie cargue con la
responsabilidad de ser una persona perfecta para ti y
solo para ti. Enamórate con intensidad, pero ama con
profundidad y tiempo.

Tu número de la suerte para hoy es el 16, y Mercurio y
Marte tus mejores consejeros, escúchales.

Por más que te empeñes en que todo te salga mal, hoy los astros del universo se han puesto de acuerdo para que destierres de tu alma a la mala suerte y para que endereces el rumbo hacia la felicidad. Hoy todo te saldrá a pedir de boca, así que pide lo mejor para todos y para ti.

No dejes que se pase el día sin haber aprovechado el momento de ser feliz, de sentir, de amar y de ser amado o amada. Recuerda que la vida es un eterno hoy, y que no hay mejor pasado ni futuro que el presente bien aprovechado.

Tu número de la suerte para hoy es el 15, y Marte y el Sol los planetas que se encargan de tu buena suerte.

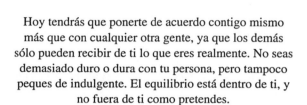

Hoy tendrás que ponerte de acuerdo contigo mismo más que con cualquier otra gente, ya que los demás sólo pueden recibir de ti lo que eres realmente. No seas demasiado duro o dura con tu persona, pero tampoco peques de indulgente. El equilibrio está dentro de ti, y no fuera de ti como pretendes.

No hay peor enfermo que el que quiere estarlo, ni peor médico que quien pretende curar el cuerpo sin haber visto el alma de sus pacientes. Sana primero tu alma.

Tu número de la suerte para hoy es el 14, y Marte y la Luna las deidades que te llenan por dentro.

Las decisiones que tomes hoy pueden incidir en las personas que tengas al lado, en tus amigos, compañeros o hermanos, así que antes de tomarlas lo menos que puedes hacer es comunicarlo. No le tengas miedo a las palabras de la misma manera que no le tienes miedo a tus actos.

Aunque a veces no te lo parezca, a tu alrededor hay gente que te protege y te quiere, así que déjate querer y no tengas miedo en decir y en demostrar lo que piensas y lo que sientes.

Tu número de la suerte para hoy es el 13, y Marte y Mercurio tus dioses regentes.

Hoy te levantarás con la fuerza de un ciclón y con la energía de un tornado, pero a medida que vaya transcurriendo la jornada irás ralentizando la marcha, porque te irás dando cuenta que con prisas y con nervios no consigues nada.

Deja que tu freno sea la conciencia y del sentido común, pero no detengas del todo la marcha, sólo date un respiro para reflexionar, pero no dudes ni por un momento de tu primera intuición. Toma decisiones, pero no te lances al vacío sin red.

Tú número de la suerte para hoy es el 12, y Marte y Venus tus dioses aliados.

Hoy tendrás más prisa que de costumbre y querrás que todas las cosas se hagan ya, o antes si es posible, porque tu ímpetu te empujará y tu alma deseará poseer todas las cosas. Por supuesto, querrás ser el primero o la primera en todo y para todo, y lucharás con decisión e insistencia para conseguir lo que deseas.

Deja que la pasión sea tu aliada, no temas a nadie ni a nada, toma impulso y lánzate hacia a la meta sin pensarlo dos veces, y busca entre las personas de Aries a tus mejores aliados.

Tu número de la suerte es el 1, y Marte el Dios que te alienta y te protege.

TU HORÓSCOPO PARA HOY

Jessica Tate

Título original:
Tu Horóscopo para hoy

© 2002 by Ediciones Abraxas

Ilustración de cubierta: Javier Tapia
Infografía: Xurxo Campos

La presente edición es propiedad de
Ediciones Abraxas
Apdo. de Correos 24.224
08080 Barcelona
E-mail: abraxas.s@btlink.net

Impreso en España/ Printed in Spain
ISBN: 84-95536-81-1
Depósito legal: B-17.651-02

Impreso en
Hurope S. L.
Lima, 3 bis
08030 Barcelona

A mi amigo Javier Tapia,
que me enseñó la magia
de la Astrología.

LA MAGIA DE LA ASTROLOGÍA

No puedo dejar de recordar con simpatía a aquel profesor de la Universidad de Berkeley, que cuando escuchaba las palabras «horóscopo» o «astrología» se llevaba las manos a la cabeza y empezaba a decir que no podía creerse que la gente creyera en esas cosas. Lo bueno es que cuando los alumnos le preguntábamos qué era exactamente el horóscopo o la astrología, no atinaba a decir que era eso que salía en el diario y que toda la gente leía. Vamos, que el buen profesor «Danid el Gnomo» (así le apodábamos porque era bajito, llevaba el pelo largo, tenía una gran barriga y, a los pelos de la barba, había que sumarle los pelos de la nariz que él tan orondamente lucía) no tenía la más mínima idea de lo que era la astrología, y sin embargo la criticaba.

Como alumna de aquella universidad, durante mucho tiempo yo también creí que la astrología y los horóscopos se reducían a una plana intermedia del diario, pero no dejaba de asombrarme cuando ese horóscopo del diario acertaba de pleno a lo que me estaba pasando tal o cual día, tal o cual temporada.

Supongo que Danid el Gnomo también leía su horóscopo en los diarios, porque sabía perfectamente cuál era su signo del zodíaco, pero no quería oír hablar del tema, como si la astrología estuviera movida por unas fuerzas oscuras que atentaban contra todo lo que él podía considerar «ciencia». De haber sido religioso, nuestro amado profesor nos habría quemado en la hoguera por blasfemos, y ahora que lea este pequeño libro, que le haré llegar sin dilación en cuanto salga de la imprenta, seguramente querrá cortarme la cabeza. «Señorita Tate», me dirá, «veo que todos los años que pasó en el templo del saber no le han servido para nada.»

Por suerte hay otros profesores que no querrán dejarme sin cabeza, como mi profesor de Astrología, a quien dedico este libro, y que me enseñaron que en este mundo moderno y racional a ultranza, no todo es «ciencia», y que gracias a Dios y a los seres de luz que nos inundan y nos rodean, también existen la fuerza del amor y la sabiduría del espíritu.

Por supuesto, y menos mal, la Astrología no es una ciencia exacta, sino un conocimiento de miles de años capaz de señalarnos el camino que han recorrido durante millones de años los astros, las estrellas y los planetas, y que se pueden comparar perfectamente con los ciclos de nuestras vidas humanas, porque, al fin y al cabo, todos formamos parte de este maravilloso sistema que se llama universo.

Este libro está basado en los ciclos de la Astrología, en la Rueda de la Rota y en el Horóscopo Eterno, y gracias a ello nos permite que siguiendo el sistema de girar nueve veces el libro y abrir una página al azar, encontremos las claves de nuestro destino para un día determinado sin importar cuál sea el horóscopo de nuestro nacimiento.

Con este sistema usted puede ser Cáncer o Piscis, Virgo o Tauro, Escorpio o Acuario, Sagitario o Capricornio, Leo o Géminis, Libra o Aries, sin que ello le impida encontrar las claves que le abran la puerta a un día maravilloso, al ciclo perfecto para enderezar el rumbo de los astros a su favor, ya que los ciclos astrológicos positivos se dan día a día y se mueven a favor de todos nosotros, sólo hace falta que encontremos la llave para sumarnos a su influencia benéfica, y este es el cometido de la presente obra.

Todas las cosas del universo tienen dos facetas, una positiva y otra negativa, pero sólo de nosotros depende escoger la primera o la segunda. Dios puso en el cielo señales para guiar nuestro camino en la más oscura de las noches, y nosotros lo único que tenemos que hacer es levantar la vista y hacernos con ellas.

No cierres los ojos a las luminarias que alumbran la felicidad de tu camino, no bajes la vista ante la majestuosidad de la plenitud de a vida. Abre tu corazón y tu mente con un acto tan sencillo y positivo como abrir una página al azar de este pequeño libro amigo tras haberlo girado nueve veces, y que toda la felicidad del universo te acompañe.

TU HORÓSCOPO
PARA HOY